Poucette

Une jeune femme se désespérait de n'avoir pas d'enfants. Un jour, elle se décida à consulter une sorcière qui lui donna un grain d'or en échange de douze sous.

« Plante-le dans un pot, lui dit la sorcière. Arrose-le et tu verras que ton rêve se réalisera ! »

De retour chez elle, la femme planta la graine et vit pointer une fleur qui semblait sur le point de s'épanouir. Les pétales s'ouvrirent, découvrant une minuscule petite fille que la femme appela Poucette. Elle était si petite qu'elle lui fit son berceau dans une coque de noix et une couverture avec des pétales de violettes.

Poucette et sa maman vécurent un certain temps tranquilles et heureuses dans leur maisonnette.

Une nuit, cependant, un crapaud sauta dans la maison par une fenêtre ouverte. Puis, sans faire de bruit, il alla dans la chambre où dormait Poucette.

« Comme elle est belle ! pensa le crapaud. Elle ferait une ravissante épouse pour mon fils. Je suis sûr qu'elle lui plaira. »

Et, sans hésiter, il saisit la coque de noix et se sauva de la maison avec sa proie. Il posa la fillette sur un nénuphar au beau milieu du ruisseau pour qu'elle ne puisse pas s'échapper et appela son fils.

« Voici ton épouse… » lui dit-il. A cet instant, Poucette se réveilla en poussant un cri, car elle comprit qu'on l'avait enlevée. Elle regarda avec désespoir autour d'elle pour trouver du secours, mais il n'y avait personne.

Cependant, les poissons, qui avaient entendu les paroles du crapaud, lui vinrent en aide. Les petits poissons ne s'entendaient pas bien avec les crapauds et ne voulaient pas que Poucette reste avec ces animaux laids et visqueux. Ils coupèrent la tige du nénuphar sur lequel était posée Poucette, et la feuille se mit à glisser au fil de l'eau, lentement tout d'abord, puis de plus en plus vite, au grand dépit de ses ravisseurs. La vue était magnifique. Rochers, arbres verts et grands prés se succédaient le long des rives du ruisseau.

Un papillon qui passait par là lui dit : « Veux-tu que je te serve de guide ? ». Poucette accepta avec joie. Elle passa sa ceinture autour du papillon, attacha l'autre bout sur la feuille, et le papillon tira la petite embarcation à travers les méandres du ruisseau.

« Bravo ! cria la fillette. Jamais je ne me suis autant amusée ! »

Elle n'avait pas terminé sa phrase qu'un hanneton volant en piqué, s'empara d'elle et l'emporta sur un arbre.

« Bonjour, lui dit le hanneton. Je suis désolé de t'avoir effrayée. Comment t'appelles-tu ? Je te trouve très jolie. Si tu as faim, ces fleurs ont un excellent nectar.

— Merci ! » répondit Poucette qui s'était remise de sa peur.

Mais, bien vite, le hanneton se lassa de Poucette. Les autres hannetons venus lui rendre visite s'étaient exclamés : « Qu'elle est laide ! », et il décida donc de l'abandonner sur une marguerite.

La fillette se mit à pleurer : elle était si laide que même les hannetons ne voulaient pas d'elle !

Durant tout l'été, elle vécut seule dans l'immense forêt, se nourrissant du suc des fleurs et dormant sur un petit lit de brins d'herbes. Mais, après l'été vint l'automne. Les fleurs se fanèrent et un vent violent se leva. Poucette se mit à avoir froid ; elle devint triste et la solitude se fit sentir plus que jamais. Un matin, de gros flocons blancs commencèrent à tournoyer dans le ciel. Il neigeait ! En peu de temps, toute la campagne fut recouverte d'un manteau blanc.

« Il fait de plus en plus froid ! pensait Poucette. Je ne survivrai pas à la neige et je ne reverrai jamais plus le printemps, le soleil et les fleurs ! »

Mais, soudain, un rat des champs lui vint en aide. Poucette était sauve.

« Viens avec moi, dit le petit rat. Tu seras bien au chaud et je te donnerai de bonnes choses à manger. Ma tanière est pleine de provisions ! »

Poucette accepta avec joie et suivit le rat dans son habitation souterraine.

En effet, il faisait chaud dans la tanière et la table regorgeait de victuailles. Poucette aidait le maître de maison à faire le ménage et lui tenait compagnie.

Un jour, la petite fut invitée par monsieur Taupe, un voisin fort riche et fort vieux. Sa maison souterraine était bien tenue et monsieur Taupe, même s'il parlait peu, était très gentil. Après avoir observé Poucette avec bienveillance, il lui dit de revenir le voir.

« Je suis seul ici et les visites me font plaisir. Ma vue n'est plus très bonne, mais je vois tout de même que tu es belle comme un rayon de soleil un jour de printemps ! »

Un matin, en se promenant dans une des galeries de la tanière de monsieur Taupe, Poucette aperçut une hirondelle qui s'y était réfugiée. Elle semblait morte !

Poucette alla chercher une couverture et l'étendit sur l'oiseau. Puis elle se pencha et déposa tristement un baiser sur son front. A cet instant, la petite fille entendit un léger bruit : toc… toc… On aurait dit le battement d'un cœur. L'hirondelle revenait lentement à la vie ; la chaleur de la couverture l'avait réanimée.

« Tu m'as sauvée, dit l'hirondelle en ouvrant les yeux. Merci de tout mon cœur. Je t'en serai éternellement reconnaissante. Maintenant, je pourrai revoir le ciel bleu et voler très haut vers le soleil.

— Tu dois attendre, répondit Poucette, c'est l'hiver et il fait froid. »

Poucette passa les mois d'hiver en compagnie de l'hirondelle qui lui racontait ses longs voyages et lui parlait des pays qu'elle avait visités.

Un jour, après avoir jeté un coup d'œil par la porte de la maison, Poucette s'écria toute contente : « Voilà le soleil ! Comme il fait chaud !

— Alors je dois partir, répondit l'hirondelle. Viens avec moi, Poucette, nous voyagerons et serons heureuses ! »

Mais Poucette n'avait pas le cœur d'abandonner ceux qui lui avaient si généreusement offert l'hospitalité durant tout l'hiver. Elle décida donc de rester.

« Adieu, petite hirondelle ! Ne m'oublie pas ! »

Les deux amies se séparèrent, le cœur gonflé d'émotion et, bien vite, l'hirondelle ne fut plus qu'un point noir dans le ciel bleu.

Monsieur Taupe s'était pris d'affection pour la gentille Poucette et, comme il se sentait très seul, il lui demanda de l'épouser ; mais la petite refusa, à la grande consternation de monsieur Taupe.

« C'est un bon parti, dit le rat. Il est riche…

— Oui, mais il me faudrait vivre sous terre, répondit Poucette. Et puis il est gros et sale ! Jamais je ne l'épouserai !

— Allez, ne discute pas. Je vais te préparer ton trousseau et lorsqu'il sera prêt, tu te marieras ! »

Pauvre Poucette ! Chaque soir, monsieur Taupe venait la voir et la petite lui parlait de fleurs et de papillons. Mais il s'en moquait pas mal.

« Moi, je n'aime que ma tanière ! » lui répondait-il.

Le jour des noces était arrivé ; Poucette, désespérée, se confia à une petite fleur.

« Oh, comme je suis malheureuse ! Je voudrais tant retrouver mon amie l'hirondelle ; cette fois-ci je partirai avec elle, malheureusement elle doit déjà être bien loin ! »

Mais l'hirondelle ne tarda pas à arriver. Elle avait vu Poucette près de la fleur et était accourue pour aider son amie. Elle écouta la fillette et lui dit :

« Écoute, Poucette, je pars vers des pays lointains et chauds. Viens avec moi, je te porterai sur mon dos, et adieu monsieur Taupe ! ».

Poucette accepta avec joie et partit avec son amie. Quels splendides paysages défilaient devant ses yeux ! Pendant ce temps, l'hirondelle infatigable poursuivait son voyage.

Et elles arrivèrent ainsi sur les rives d'un lac où se dressait un château.

« C'est là que se trouve ma maison, dit l'hirondelle. Et en ce qui concerne la tienne, j'ai une idée ! Choisis la fleur qui te plaît le plus et je t'y conduirai ! »

Poucette était enchantée. Elle regardait autour d'elle mais n'arrivait pas à se décider ! Les fleurs étaient toutes si belles ! Elle finit par en choisir une blanche, magnifique.

Mais au centre de cette fleur se trouvait justement un lutin. Poucette l'aima immédiatement et le lutin l'accueillit avec joie, lui laissant la meilleure place.

« Veux-tu m'épouser ? lui demanda Lutin. Tu seras la reine et tu auras des ailes comme les miennes ; nous volerons ensemble et nous nous amuserons comme des fous ! »

Poucette accepta et, quelques jours plus tard, elle put prendre son envol comme son amie l'hirondelle. Poucette était enfin heureuse ! L'hirondelle vint les saluer.

« La vie est belle ! lui crièrent en chœur Poucette et Lutin.

— Adieu les amis, dit l'hirondelle. Maintenant je dois rentrer à mon nid, mais soyez sûrs que… je ne vous oublierai jamais ! »

FIN